U0147070

板橋詩鈔　范縣作

興化鄭燮克柔氏

音布

昔予老友音五哥書法峭崛含
阿那筆鋒下插九地裂精氣上
与雲霄摩陶顏鑄柳近歐薛排
黃鑠蔡淩顛坡墨汁長傾四五斗
殘豪可載數駱駝時〻作草恣怪
變江翻龍怒魚騰梭與予飲酒意
静重討論人物無偏陂衆人皆言酒
失大予執不信嗔偽訛大致蕭〻疋
風範細端瑣碎寧爲苛鄉里小兒暴
得志好論家世談甲科音生不顧輒
噓唾至親戚屬相矛戈逾老逾窮
逾怫鬱屢顛屢仆成蹉跎革去
秀才充騎卒老兵健校相遮羅摩

[illegible]

[illegible]撰

[illegible]

[illegible]

呼先生拜于地全酒大肉排青莎音
生瞪目大歡笑狂鯨一吸空千汝醉
来索筆索帋墨一揮百幅成江
河羣爭衆奪若拱璧無知反得珎
愛多昨遇老兵劉窮餓頗以賣字
温釜鍋談及音生舊時事頓足歎
恨雙滂沱天與才人好花樣如此行狀
應不磨嗟予作詩非寫怨以顯逝

矣將如何卌上才華六不盡慎勿
咤叱爲幺魔此等自非公輔器山
林點綴雲霞窩泰岱嵩華自
五岳豈無別嶺高嵯峨大書卷
帙告諸卌書羅茫丶嶪浩歌

范縣

四五十家貧郭民落花廳事淨
無塵苦蒿萊把臂僧送秃袖

鷯衣小吏賀當青隱幽難畫燭何
曾頑梗竟能馴縣所一尺情猶隔
況是君門隔紫宸

寄題東邨樊詩二十八字

聞說東邨萬首詩一時燒去更無
遺板槁居士重饒舌詩到煩君
併火之

寄招哥

十五娉婷嬌可憐〻渠當夕四三年
宦囊蕭瑟音書薄畧寄招
哥買粉錢

懷揚州舊居 即李氏小園賣花翁汪髯所築

樓上佳人架上書燭光微冷月來初
偷開緗帳看雲鬟擘斷乐纖拂
壽魚譏傅青山為院落隋家芳艸入
園蔬思鄉懷古兼傷暮江雨江〻花朵

自如

感懷

歌舞樓頭暮影催雪霜門戶豔陽迴蘇秦六國都丞相羅隱西湖老秀才游說寂寥齊市哭文章光怪越山開分明一匹夗央錦玉剪金刀請自裁

送陳坤秀才入都

天台才子庚熹[illegible]與予京師飲園西華門閑懷吸盡玉泉水隻手拔斷西山根是時長空新晴九陌淨月光爛爛升銀盆長風龡天片雲邈銀臺萬樹含烟翻踈星遠火動芳甸迴沙細浪酷似江南邨是後相逢廣陵道予正肩一舸入烟島左竿一壺酒右竿一尾魚烹魚煮酒恣談謔首傍便借村人居飲罷泛泛又分去君

從何處得此奚生書奚生不妄許與人
滇池洱海寧為親憐君書瀍有古
意歷落不顧時賢嗔贈詩贈字指君
踪要窺北關排闥陳范州知縣亦何幸迴
車枉駕來沙塵紫城古柳夕陽瘦長
隄嗥犬秋墳新此去京師一千里十日
可到運河津薄酒寒茶飯粗糲對
人慎勿羞吾貧京師有僧介庵子是

爾滇南舊簡里書瀍晶瑩秀且清
纖穠挺拔脊桃紫君徃從之必有
倚況兼古碑舊帖藏最多縱橫觀
之疑問彼問君此去胡為乎功名富
貴良難圖惟有文章卅公罷石渠天
祿開通渠觀君運腕頗有力柔軟妥
貼須工夫莫辭長跪背泥地箋紙片
字明月珠書法鉅公之老在法華庵

主梁函湖法華主張公照梁函湖諱詩正

鄂公子左遷諱簪安

仲子空殘嘔血鄂君原不求名草去東宮詹事來充國子先生

十日菊

十日菊花看更黃破籬笆外拜秋霜不妨更看十餘日避得暖風禁得涼

縣中小皂隸有似敵僕王鳳者每見之黯然

唱衛前行忽掉頭風情疑是舊從遊掉爾渠了得三生恨細雨空齋好說愁

口轆依然性亦溫善他吮筆墨花痕可憐三載渾無夢今日與前遠近兎

小印青田寸許長抄書留得舊文章縱然面上三分似豈有胸中百卷藏

乍見心驚意便親高飛遠竄未仍人

楚王幽夢年〻斷錯把衣冠認舊臣

唱衙

唱道排衙嫡不禁芒鞋踏俗入林深一
杯白水蔬塗進慚愧郵愚百姓心

范縣詩

十畝種棗五畝種梨胡桃頻婆沙果柿
椑香〻花淡〻秋實離〻十月霜紅勁果
垂枝爭榮謝拙盤采于斯消煩解渴

拯疾療飢
桑下有梯桑上有女不見其人葉彷如
雨小妹提籠小〻弟翹風掇彼桑葚青澁
赤紅既養我蠶兼市我繭杼柚在堂絲
絮在撚暖老憐童繾風裁翦
維葛維蕨蘇百其名維菫維槿百獻
其情蒲桃在井薺艹在坪棗花侵縣
麥浪平城小蟲未翅窈窕厥聲哀呼老

露肩霞遥指我屋思見我婦一縷晨烟
隔于深樹牽衣獻果幼兒識父
錢十其貫布兩其端四十聘婦我家實寠
亦有勝邨童兒女孫十五而聘十七而昏茆
枯異勢造化無根我欲望天我實戴盆六十
措傭不識妻所籠燈舁緣終身爲走奔
驢騾馬牛羊滙賣斯為集或用二五八或以
一四七日期長吏出収租借閭民苦疾老人不

識官扶杖拜且泣官〻差分所應吏攫貪何
極最畏祿標籤請君慎點筆貪者三其
祖廉者五其息即此悟官箴恬退亦多得
朝歌在北濮水在南維茲范邑匯滛匯婺
陶堯孫子劉累庶枝自昇祖于會衍卅于
茲娫〻斤〻唐風所歠黳〻力〻物土之宜

絶句二十三首

高鳳翰

號西園膠州秀才薦舉爲海陵督
灞長工詩畫尤善印篆病癡後
用左臂書畫更奇
西園左筆壽門書法內朋交索向余短札
長箋都去盡老夫贋作亦無餘
圖清格
號牧山滃洲人部郎善畫學石濤和
尚

嬾向人間作畫師朋游山下牧羊兒崖前
古廟新泥壁墨竹臨風寫一枝
李鱓
號復堂興化人孝廉供奉內廷
後爲滕縣令畫筆工絕蔣相公高司寇弟子
兩革科名一貶官蕭蕭華髮鏡中寒回
頭痛哭
仁皇帝長把靈龢柳色看

滿天下子孫科甲無算先生泊如也

屢勸諸兒莫做官〻立官難更立身難一門

自有千秋業萬石高風國史看

黃慎

字恭懋號癭瓢公七閩老畫師

愛看古廟破苔痕慣寫荒崖亂樹根

畫到情神飄沒處更無真相有真魂

邊維祺

字頤公號壽民山陽秀才工畫雁

畫雁分明見雁鳴縹緗颯〻荻蘆聲筆頭

何限秋風冷盡是關山離別情

李鍇

字鐵山又號豸青山人索相子壻也

極博工詩遼東世胄

落冕王孫號豸青〻文章兼命〻無靈函

風吹沱平津閣何處重尋孔雀屏

郭沅

字南江揚州人孝廉工制藝

點染詩書萬卷開丹黄如繡墨如苔客
来相對無言説文弱書生秀才

晉布

字蘭遠長白山人善書

柳板棺材盖破袪紙錢蕭淡挂輀車森
羅未是無情地或恐如人就索書

五十九

沈鳳

字凡民江陰人盱眙縣令王若翁林太
史門生工篆刻

政績優游便出奇不須峭削合時宜良苗
也怕驚靁電扇得和風好〻斂

周景柱

字西肇遂安人孝廉由內閣中書
爲潮州府丞工書法

[illegible]

曾約嚴灘去釣魚春風江上草爲廬如
何万里無消耗者番衙官我簿書

董偉業

字恥夫號廢江淮陽人流寓甘泉任
揚州竹枝詞九十九首
百首新詩號竹枝前朝原有艷妖詞合來
方許稱完璧小楷抄謄按秋隨
保祿

卒

字雨野號淵淵筆帖式遇于江西撫大
師家贈詩云西江馬大士南國鄭都官
曾把都官目极橋心知誑哄又虛驍撫方
去後雨山遠酒店春旗何處招
伊福納
山兼五姓鄭拉淵淵人進士戶部
郎中丁詩
紅樹[illegible]西山歲歲想同持遊栝

僧去盡沙弥换誰識當時兩黒頭

申甫

號筠山關中人孝廉工詩

男兒須用百千期眼底微名豈足奇料

得水枯青石爛天涯滿誦筠山詩

杭世駿

字大宗號堇浦杭州人工詩舉鴻博

授翰林苑編修

門外青山海上孤階前春草夢中癯宦

情不及閒情熱一夜心飛了鑑湖

方超然

字蘇臺淳安人工書為塩場大使

蠅頭小楷太匀傳長恐工書損性靈急

限采牋三百幅宮中新製衣錦圍屏

金司農

字壽門錢唐人博物工詩舉鴻博

不就

九尺珊瑚照乘珠紫髯碧眼賢商胡銀河
若問支機石還讓中原老匹夫

凡大人先生載之國書傳之左右史
而星散落拓之輩名位不高者懷
絕藝湮沒失傳故以二十八字標其
梗槩

義山先生不應在
是列業之所羞逐不能自已

南朝

昔人謂陳後主隋煬帝作翰林自
是當家本色燮亦謂杜牧之溫飛
卿為天子亦足破國亡身乃有幸而
為才人不幸而有天位者其遇不遇
不在尋常眼孔中也

舞榭歌樓蕩子家驕人落拓借擋遮如
何冤藻山龍客苦戀温柔旖旎花紅豆
有情傳夢寐青春無賴鬥烟霞風流
不是君王泒請入雞林謝翠華

歷覽三首

歷覽名臣與佞臣讀書同慕古賢人
烏紗畧戴心情變黄閣旋登面目新翻
笑腐儒何寂寂可憐卌味太津津勸君莫

作閒居賦潘岳終須負老親
歷覽冰山遍眼傾眼前崒嵂有誰爭三
千羅綺使宮粉十万貔貅擁禁兵白髮更
饒門戶計黄金先買史書名焚香痛哭
龍門史一字何曾誑後生
歷覽前朝史筆殊英才多少受冤誣
一人著述千人改百日辛勤一日塗忌諱本
來無筆削乞求何得有褒誅唯餘遺

口丈堪讀惆悵新添者也乎

有年

槐影鴉聲晝漏稀了除案牘吏人歸拈來舊稿花前改種得新蔬雨後肥小院鳥童調駿馬畫樓纖手疊朝衣兩陵未足酬恩進大有書年報

立朝

立朝何必無纖過要在聞而遽改之千古怙終緣寵戀問君戀得幾多時

君臣

君是天公辦事人吾曹臣下二三臣艱之奉若穹蒼意莫待雷霆始認真

詠史

蠢起狐鳴幾輩轉是真天子壓群豪便須傀儡諸龍種拜冕垂旒贈一刀

天位由来自有真不須刻削舊松筠瀟灑家子弟幽囚在王莽猶非極惡人

二生詩　宋緯劉連登茌縣秀才

腐史湘騷同炙更銜齋風雨見高情也知貧病渾無措不敢分錢惱二生

懷李三鱓

耕田便爾牽牛去作畫依然弄筆來一領破蓑雲外掛半張陳桼酒中栽青春在

眼童心熱白髮盈肩壯志灰惟有蓴鱸堪漫喫下官亦為喚魚回

待買田莊然後歸此生無分到荆扉借君十畝堪栽秫賃我三間好下幃柳綫軟拖波細細秧針青惹燕飛飛夢中長與先生會草閣南津舊釣磯

秋荷獨後時摇落見風姿無力爭先發非因

後出奇

平陰道上

關河夜雨車馬晨征蕭蕭日出蕩蕩波平山城樹碧古戍花明雲隨馬足風送車聲漁者以漁耕者以耕高原婦饁墟落雞鳴帝王之業野人之情

止足

年過五十得免孩埋情怡意澹歲月方來

彈丸小邑稱是非才日高猶臥夜戶長關年豐日永波澄雲迴烏鳶聲樂牛馬群諧訟庭花落掃積成堆時時作畫亂石秋當時時倚窗古與媚皆時時作詩寫樂鳴哀閨中少婦好樂無猜花下青童慧黠邊懷圖書在屋芳草盈階晝食一肉有飲數杯有後無後聽已焉哉

七夕

天上人間盡苦辛飛橋斜度水粼粼

會多離隔好把牛郎覷得真

漏盡星飛頃刻離細將長夜說相思明年

又有新愁恨不得重提舊怨詞

孤兒行

孤兒躑躅行低頭屏息不敢揚聲阿叔坐

堂上叔母臉厲秋錚錚　阿叔不念兒叔母不

念嫂不記瘦嫂病危篤枕上叩頭孤兒幼小

立喚孤兒跪床前拜倒拭淚諾諾孤兒是保

嬌兒坐堂上孤兒走堂下嬌兒食粱肉孤

兒兢兢捧盤盂恐傾跌受笞罵朝出汲水

暮莝芻養馬莝芻傷指血流瀉瀉孤兒

不敢言痛阿叔不顧視但詈死去兄嫂生此

無能者　嬌兒著紫裘孤兒着破衣嬌

兒騎馬出孤兒倚門扉舉頭望望掩淚

來歸　晝食廚下夜臥薪草房豪奴

而僕食餘棄骨孤兒拾齧并遺賸羹湯食罷
濯盤浴釜諸奴樹下卧涼　老僕不分涕泣
罵諸奴骨輕肉重乃敢凌幼主髙賤軀阿㜷
阿㜷聞知閉房悄坐氣不得蘇終然不念煢
煢孤　老僕攜紙錢出哭孤兒父母頭顱墳
橛淚濤墳土當初一塊肉羅綺包裹今日受
煎苦墓橛蕭〻夕陽黃瘦齒風夜雨

後孤兒行

十歲喪父十六喪母孤兒有婦翁翁珠玉金錢付
其手蒲葦繫盤石可以卒長久繼不盡他人
兒寧不為阿女守　丈〻翁得錢歸鼠心狼
肺側目吞肥千謀萬算伏危機　姥曰不可
翁曰不聽令孤兒汲水大江邊失足落江水隣
救得活全丈〻聞知復活不謝隣舍中心悵然
朝不與食暮不与栖止孤兒蕩〻無倚
乞求餐飯向日不返外父外母不問曷論

生死　夜宿埜廟荒葦茫〻聞人笑語漸見
燈光綠林君子勒令把火隨行孤兒不敢不聽
從强梁　事發賊得累及孤兒賊白冤故
官亦廉知丈〻辣心毒手惡力買告令誣涅
與賊同歸　西日慘〻羣盜就戮顧此孤
兒肌如瑩玉不恨已死痛孤冤毒行刑人淚
相續

題陳孟周詞後

陳孟周聾人也聞予填詞問其調予
為誦太白菩薩蠻憶秦娥二首不
數日即為其友人填二詞亦用憶秦
娥調其詞曰凶光陰瀛春風記得花
開夜花開值明珠雙贈相逢未嫁
舊告朙月如鈎挂只今提起心還
怕心還怕漏聲初定玉樓人下何時
了青緣不若無緣好無緣好怎生

禁得多情自小重逢鄉覓同生卅相思
未創於兔藁招魂稿月雖無恨天何
不老 予聞而驚歎逢人便誦感曰
青蓮自不可及李后主辛稼軒何
多讓矣拙詞近數百首自愧陳
作遂不復存

圓嶠仙人海上飛吸風飲露不曾歸偶然唾
墨成涓滴化作靈雲入少微

世間處處可憐情冷雨淒風作怨聲此調
再使黃壤去癡冤何日幽愁城

署中示舍弟墨

學詩不成去而學寫學寫不成去而學畫日
賣百錢以代耕稼實救困貧託名風雅免謂
當途乞求官舍座有清風門無車馬四十科名
五十旂旌小城荒邑十萬編氓何養何教通
性達情何興何癈務實辭名念一行不當百

患難更少予失教躁率易輕水衰火熾老更不平日有悔吝終夜屏營妻孥綺穀童僕鼎羨何功何德以安以榮若不速去禍患叢生李三復坐筆精墨渺予爲蘭竹家數小〻亦有苦心卅年探討速裝我硯速攜我稿賣画揚州與李同老詩學三人老瞞与爲少陵爲後姬旦爲先字學漢魏崔蔡鍾繇古碑斷碣刻意搜求維茲三事屋舍田疇宦貧何畏宦富可惴即此言歸有贏不匱人不疵尤鬼無瞰祟吾既不貪尔亦無恚需則失時決乃云智

破屋

廨破墻仍缺隣雞喔〻来庭花開扁豆門子卧穐苔畫鼓斜陽冷虛廊落葉迴掃階緣宴客翻惹燕鴉猜

登范縣城東樓

獨〻秋城望高樓出曉烟西風漳鄴水旭日魯鄉天過客荒無館供官薄有田時平兼地僻何況又豐年

姑惡

古詩云姑惡姑惡姑不惡妾命薄可謂忠厚之至得三百篇遺意矣然為姑者豈有悛悔哉因復作篇極形其狀以為激勸焉

小婦年十二辭家事翁姑未知伉儷情以哥呼阿夫兩小各羞態欲言先囁嚅翁令處閨閣織作新流蘇姑令雜作苦持刀入中廚切肉不成塊礧磈登盤箠作羹不成味酸辣無別殊析薪纖手破執熱十指枯翁曰是幼小教導當徐〻姑曰幼不教長大誰管拘恃其桀傲性將欺頹老軀恃其驕縱資吾兒將伏蒲令日肆詈辱明日鞭撻俱吾日無

完衣十日無完實吞聲向暗壁啾唧微歎吁
姑云是詛咒執杖持刀語汝肉尚可切頤肥未
為癯汝頭尚有鬢薅盡為秋壺與汝不同生
汝活吾命殂鳩盤老形貌努目真兇屠阿夫
畧顧視便嗔羞恥無阿翁畧勸慰便嗔昏
老奴隣舍畧探問便嗔何與渠嗟〻貧家
女何不投江湖江湖飽魚鼈免受此毒荼嗟哉
聽毋豈不聞怨呼人間為小婦沉痛結冤誣飽

食償一刀願作牛羊豬豈無父母來洗淚飾
歡娛豈無兄弟問忍痛稱姑刎疤痕掩破
襟秃髮云病踈一言及姑惡生命無須臾

邯鄲道上二首

銅臺函北又叢臺泱漭塵沙浙水迴嗟武
靈王無末跡愛廝養卒有英才青山易
老人長在白鬟無權志不灰最是耳餘
堪借鑑千秋刎頸有疑猜

仙館荒寒不見人吕翁遺像滿埃塵古碑剔
蘚前文陋畫壁含苔幻說新幾處斷橋
支破板一溝折葦卧秋蘋分明告我浮
生事伏枕何須夢假真

漁家

賣得鮮魚百二錢糴糧炊飯放歸船拔來
濕葦燒難着晒在垂楊古岸邊

小遊 贈杭州余省三

撤杭越入姑蘇吞震澤貌西湖錢塘之潮
十里瀾盪以太湖波浪渾如無惠山買酒
醉酩酊金山腳踢成蠡粉別肯寫之古
澹心披衣散髮蕉崖頂半夜狂揮癡
窟銘五更冷對文王鼎大索揭卅不見我
飄風飄飄千里來山左袖中力士百斤椎椎開俗
吏雙眉鎖俗吏之俗亦可憐為君貸取
百千錢謁曲阜墓觀嶧山刻登泰山顛

尚有嘶風掃電之驥足送君雲外飛歸山鞭
君之小游累如此壯遊他日吾從爾

江七姜七 名昱 名文載

揚州江七無書名予獨識其神骨清歐陽體
質褚性情藐姑冰雪光瑩瑩如皋姜七無畫
名予默愛其堅秀明梧桐月夜仙娥娙如聞
歎息微微聲聲畫中景二子才思原縱橫二子學
術原崢嶸天南萬里諸髦英俛首聽命無

衡爭杈橋道人孫異行昌羊別嗜顛倒
傾獨推書畫衆目瞠尋諸至理還平平
廟堂若薦犧劉驊二子應列丹刻楹大章
簫韶咸池鳴景王無射休噌吰即令別調
龡竽笙冊肅破裂琵琶箏我來山左塵沙昇
春風夜雨思喬鸞窮達遇合何足營望君
刻苦孤邁征江書姜畫懸梟棖歐干卞壁湘緗
衡或予謬鑑雙目盲請呼老禿嗤殘傖

板橋詩鈔

濰縣刻

逃荒行

十日賣一兒，五日賣一婦，來日賸一身，茫茫即長路。長路迂以遠，關山雜豺虎。天荒虎不飢，肝人伺巖阻。豺狼白晝出，諸邨亂擊鼓。嗟予皮髮焦，骨斷折腰膂。見人目先瞪，得食咽反吐。不堪充虎饑，虎亦棄不取。道旁見遺嬰，憐拾置擔釜。賣盡自家兒，反為他人撫。路婦有同伴，憐而與之乳。咽咽懷中聲，咿咿口中語。似欲呼耶孃，言笑令人楚。千里山海關，萬里遼陽戍。嚴城嚚夜星，村燈照秋滸。長橋浮水面，風號浪偪怒。欲渡不敢攖，橋滑足無屨。前牽復後曳，一跌不復舉。過橋歇古廟，聒耳聞鄉語。婦人叙親姻，男兒說門户。歡言夜不眠，似欲忘愁苦。

来明後起行霞光影踽踽遥墻漸以南黄
沙浩無字或云薛白衣征塵從此去或云
隋煬皇高麗拜雄武初到著風經艱辛
更談古幸遇新主人歷脫與眠處長犁開
古磧春田耕細兩字牧馬牛羊斜陽估量
數身安心轉悲天南渺何許萬事不可
言臨風淚如注

還家行

死者葬沙漠生者還舊鄉遥聞齊魯
郊穀黍等人長目營青岱雲足躡遼海霜
拜墳一痛哭永別無相望春秋社燕雁封
淚遠寄將歸来何所有兀然空四墻井蛙跳
我竈狐狸據我床驅狐窒鼠掃逕開堂
皇濕泥塗舊壁嫩草覆新黄桃花知我至
屋角舒紅芳舊燕喜我歸呢喃話空梁
蒲塘春水暖飛出雙鴛鴦念我故妻子羈

卷三

二

賣東南莊

聖恩許歸贖攜錢負橐囊其妻聞夫至且喜且傍徨大義歸故夫新夫非不良摘去乳下兒抽刀割我腸其兒知永絕抱頸索我孃隨墜地幾翻覆淚面塗泥漿上堂辭舅姑舅姑淚浪浪贈我菱花鏡遺我泥金箱賜我舊簪珥包并羅衣裳好好作家去永永無相忘後夫年正少慚慘難禁當潛身隱薜舍背樹倚斜陽其妻徑以去遠隴過林塘後夫攜兒歸獨夜臥空房兒啼父不寐燈短夜何長

思歸行

山東遇荒歲牛馬先受殃人食十之三畜食何可量殺畜食其肉畜盡人亦亡帝心軫念之佈德回穹蒼東轉遼海粟西截湘漢糧雲帆下天津艨艟蹋太倉金錢數百萬便宜爲賑方何以未賑前不能爲周防何

以既賑後不能使樂康何以方賑時冒濫兼
遺忘臣也實不材吾
君以汝良臣幼讀書史散漫無主張如叔敗貫
錢如撑斷港航所以遇煩劇束手徒周章臣
家江淮間蝦蟆魚藕鄉破書猶在架破氈猶
在林待罪已十年素餐何久長秋雲雁為伴
春雨鶴謀粱去去好歲拙滿湖蓴菜香

効李艾山前輩體

秋聲何處尋尋入竹梧裏一片竹梧陰何
處秋聲起

輓老師鄂太傅五首

西華門外草萋萋白塔金鰲樹影迷壯
斗有光清漏肅三台無力曉雲低
上方乙夜調丹藥七校春風送紫泥其奈
巫陽下霄漢鈞天有詔竟先賚
杉蒼檜老日華東鈴索淒清澹曉風遺

草不曾歸太史嘉謨只是告深宮河山有象
心難盡圖名無模趣則同應向九天陪
列聖赤虬騎在白雲中
六詔風烟蕭莽蒼九邊吹角夜琅琅雲山秋
静黃金甲花柳春深綠野堂辟穀有方
羞檢閱掃所無害自清涼
聖朝若畫麒麟閣姓霍仍須諱寫光
天潢皇皇濕尾箕箕紫九譯盡銜悲武功萬
里兼文德王佐千秋實

帝師學詁南陽還
令主勲高郭相又佳兒人間五福於今倫合
演洪疇作誄辭
平泉草木錫
天家石檻松門竹逕賒籠鳥放還天地圃池
魚樂並海江涯布衣屢臥平津閣遠溪
難揮杜曲花華屋山邱何限痛終須來

詠史

雲裡關門六扇開天邊太華鳥飛迴漢家安受秦家業項羽東歸只廢才

已肯壽盟強自雄便應割據守關中如何宴罷鴻門去卻覓彭城小附庸

窘況爲許衡州賦

半畝柴門叩不開石稜磚縫好蒼苔地偏竹徑清于水雨冷詩情瘦似梅山茗未賒將葫代學錢無措喚兒回塾師亦復多情思破點經書手送來

萬里西風雁陣哀五更霜月趕徘徊薄田累我年年種秋稼登場事事來私券官租紛紛欠女襦兒褐待新栽老親八十豪情在斗米焉能廢臘醅

憶湖村

數聲柍桔隔烟蘿是處西風壓稻禾荻

葦半舍東壁雨鷺鷥遥立夕陽波買魚人鬧
橋邊市淂酒船歸月下歌擬向湖干築秋舍
菊籬楓逕近如何

和高相公給賑山東道中喜雨并五日自壽
之作　諱斌號東軒

相公捧
詔視東方百萬陳因下太倉
天語播時人盡飫好風吹處日俱長村村布穀催
新綠樹樹斜陽送晚涼多謝西南雲一片頓
教霖雨徧耕桑

五日生辰道上過山根雲脚水羅羅衝泥角
黍蓑翁獻介壽蒲尊尾盞多馬上旌旗
迷渤海柳邊輿蓋拂潍河愚民攀拽無他
屬為報
君王有瑞禾

和學使者于殿元桂贈之作　諱敏中

十載揚州作畫師長將赭墨代胭脂寫來竹栢無顏色賣與東風不合時

潦倒山東七品官幾年不聽夜江湍昨來話到瓜洲渡夢遶金山曉日寒

三百人中最後生玉堂時聽夜書聲知君療得嫦娥渴不為風流為老成

山東鎖院自清涼湖水湖雲入櫺長剪取吾家書帶草為君結束錦詩囊

濟南試院奉和宮詹德大主師枉贈之作 諱保

鎖院西風畫角清淡雲疎雁濟南城桂花不用月中折奎閣儼如天上行模範已有金在鑄洗磨終愧玉無成饒他嵩華青青色還讓先生泰岱橫

小園

月光清峭射樓臺淺夜籬門尚半開樹裡

燈行知客到作腈烟起喚茶来數聲犬吠秋星落幾陣風傳遠笛哀坐久談深天漸曙紅霞冷露滿蒼苔

寄小徒崐寧坤豫二孝廉兼呈令師崔雲墅先生

板橋頭髮已蒼蒼爾輩何須學老狂記取舊庭崔録事鷓鴣那得及鴛央

御史沈椒園先生新脩南池建少陵書院并作雜劇脩神令歲時歌舞以祀 沈諱廷芳

御史驄馬行山東馬蹄到處膏露濃洗排泰岱礪鄒嶧吹青漢栢秦皇杉少陵南池久寂泬夕陽慘惔荒波紅廟之祏之繪而塑牢之饔之鼎以鐘雕鐫鱗羽動筍簴梁桷翬翮相飄沖揮毫蘸墨作碑版百金一字尤堅工板橋居士讀不厭卧看三日

鋪秋苷頗聞歲時雩禱祀盪豬割雉陳蝦鱅茬梨青桃海麞鹿楊梅橘柚南柑封以其餘閒作雜劇蘇姬越女黃嬢踪相隨太白著宮錦潞州別駕調羹饔金元院本久退舍秦簫湘瑟清魚龍神靈飄飄倩雨喜葦花之外雲之中頤從先生乞是劇選伶徧譜琳瑯宮

瓜洲夜泊

葦花如雪隔樓臺咫尺金山霧不開慘慄秋燈魚舍遠朦朧夜話客船偎風吹隱隱萊雞唱江動洶洶壯斗迴吳楚咽喉橫鐵甕數聲清角五更哀

偶然作

文章動天地百族相綢繆天地不能言聖賢為嚨喉奈何纖小夫雕飾金翠稠口讀子虛賦身著貂錦裘佳人二八侍明星

[illegible]

燦高樓名酒黄羊羹華燈水晶毬偶然一命筆幣帛千金收歌鐘連戚里詩句欽王侯浪膺才子稱何與民瘼求所以杜少陵痛哭何時休秋寒室無絮春雨耕無牛嬌兒樂歲飢病婦長夜愁摧心擔販腹結想山海陬衣冠兼盗賊征戍雜壘壘因史家欠實録借本資校讐持以奉吾君藻鑑横千秋曾劉沈謝才徐庾江鮑儔自云鞴撥筆吾謂乞兒謀

題盆蘭倚蕙圖

春蘭未了夏蘭開畫裏分明喚阿呆閱盡榮枯是盆盎幾回拔去幾回栽

題破盆蘭花圖

春雨春風寫妙顏幽情逸韻落人間而今究竟無知己打破烏盆更入山

題嶠壁蘭花圖

山頂蘭花早〻開山腰小箭尚含胎畫工
立意教停蓄何苦東風好作媒

題半盆蘭蕊圖

盆畫半截蘭畫半含不求嶺洩不
畏凋殘

題[illegible]山詩札石濤石谿八大山人山
水小幅并白丁墨蘭共一卷

國破家亡鬢總皤一囊詩畫作頭陀橫

塗鹽抹千〻幅墨點無多淚點多

題姚太守家藏惲南田梅菊二軸 姚諱興滇

今日方知惲壽平石田筆墨十洲情廿年
贋本相疑信徒使前賢笑後生

畫芝蘭棘刺圖寄蔡太史 諱時田

寫得芝蘭滿幅春傍添幾筆亂荊榛卌
間美惡俱容納想見溫馨澹遠人

題石東邨鑄陶集

詩人老去興偏豪燒盡千篇又鑄陶從此鑄韓還鑄杜更于三代鑄風騷

家兗州太守贈茶 諱方坤

頭綱八餅建溪茶萬里山東道路賒此是蔡丁天上貢何期分賜野人家

惱濰縣

行盡青山是濰縣過完濰縣又青山宰官枉負詩情性不得林巒指顧間

饒詩

客來頗有一盤碁客去非無酒數卮髮短官忙身又病倩君饒我一篇詩

興到千篇未是多愁來一字懶吟哦非云此事從今絕脫後佳時待體和

贈陳際青

瓜洲江水夜潮平月滿秋田鶴唳清記得扁舟同臥聽金山雲板二三更

眞州雜詩八首幷及左右江縣
春風十里送啼鶯山色江光翠滿城曲岸紅徵明
澗水矮窗白紙出書聲衙齋種豆官無事刀筆題
詩吏有名昨夜村燈魚藕市青帘醇酒見人情
村中布縠縣中啼桑柘低簷麥隴齊新笋劚來泥
未洗江魚買得酒還攜山花雨足皆含笑絮襖春
深欲換絺何限農家辛苦事漸看兒女滿町畦
寒衣新熨摺參差一笑裘毛落許時脾土漸衰唯
食粥風情不減尚填詞雪中松樹文山廟雨後桃
花浣女祠最愛卷簾高閣上楚江晴碧晩烟遲

月白潮生野水潯上游千里控荊蠻洗淘赤壁無
遺燎溶溶漾金陵有賸山烟裏戍旗秋露濕沙邊戰
艦夕陽閑眞州漫笑彈丸地從古英雄盡往還
吳越咽喉鐵甕城隔江相望曉烟橫高檣迥與山
排列濁浪喧同海鬬爭卷去蘆花渾雪意飄來鼓
角盡秋聲中原萬里無烽燧扶杖衰翁未見兵
南國楓凋結綺樓雷塘北去蓼花秋染成紅淚胭
脂濕蘸破新霜草木愁兩地干戈纔轉瞬一般成
敗莫回頭後庭遺曲江邊唱又聽隋家清夜遊
行過青山又一山黄將軍墓兀其間懸崖斷處孤

松出駭浪崩時血淚還江上諸藩皆逆類樞中一老復頹顏抵天隻手終何益運去心枯事總艱何事秋風只杜門護花長怕曉霜痕掛冠盛世才原拙賣字他鄉道豈尊山雨乍晴如洗沐江烟一起又黃昏惟君詩興清豪在喚醒東南旅客魂

和張仲嵛一首

眞州八首屬和紛紛皆可喜不辭老醜再疊前韻

江頭語燕雜啼鶯淡淡烟籠繡畫城沙岸柳拖騎馬客翠樓簾捲賣花聲三冬薺菜偏饒味九熟櫻桃最有名清興不辜諸酒伴令人忘却異鄉情謂張仲嵛鮑匡溪米舊山方竹樓諸子

滿林烟雨曙鴉啼脉脉春流與岸齊蝦菜半肩奴子荷花枝一剪老夫擕除煩苦茗煎新水破暖輕衫染舊綈最是老農閒不住牆邊屋角韭爲畦

滿膝新綠燕參差正是秧鍼刺水時陌上壺漿酬力作田中幺鼓唱盲辭霡霂聖世唯霑塊貓虎先型有賽祠野老何知含哺樂優游化日向來遲

一江離思水潺潺綠酒紅亭怨小蠻芳草不曾遮

遠道浮雲只是負青山緜綠無力春蠶老繫臂何
心絲縷閒咫尺鄉園千里濶大刀頭鈌幾時還
莽莽山城接水城千年霸業尚縱横佛狸去後弛
戎馬侯景来時釀戰爭君相南朝同燕幕文章六
代總蛙聲衣冠禮樂吾
朝盛除却蒐苗未黜兵
伍相祠高百尺樓屯田遺墓也千秋溪邊花落三
春雨江上潮来萬古愁無主泥神常趁廟失羣才
子且低頭畫船半破零星板一棹殘陽寂寞遊
踏遍芒鞋為買山誰家小閣樹中間白雲封處門
長閉紅日高時夢未還六代烟花銷妄念揚州金
粉付朱顏惟餘一二漁樵侶釣雨擔雲事未艱
栖葉楓枝静掩門臥看霜雁碧天痕一生去國曾
司冦萬古辭家佛世尊策馬有心鞭已折抄書無
力眼全昏而今說醒雖非醒前此俱為蝶夢魂
和雅雨山人紅橋脩禊 盧諱見曾
一綫莎隄一葉舟柳濃鶯脆恣淹留雨晴芍藥彌
江縣水長秦淮似蔣州簿倖春光容易老遷延詩
債幾時酬使君高唱凌顏謝獨立吳山頂上頭
年来脩禊讓今年太液昆池在眼前迴起樓臺迴

水曲直鋪金翠到山巔花因露重留蝴蝶管怕春
歸戀畫船多謝西南新月挂一鉤清影暗中圓
十里亭池一水通儼開銀鑰引華東透迤碧草長
楊道靜悄朱簾上苑風天淨有雲皆錦繡樹深無
雨亦溟濛甘泉羽獵應須賦雅什先排禊帖中
草頭初日露華明已有遊船歌板聲詞客關河千
里至使君風度百年清青山駿馬旌旗隊翠袖香
車繡畫城十二紅樓都倚醉夜歸疑聽景陽更

再和盧雅雨四首

廣陵三日放輕舟漸老春光尚小留才子新詩高
白傅故園名酒載青州（公山東人）花因近席枝偏亞人
有憑闌句未酬隔岸湔裠諸女伴一時欣望畫回
頭
莫以青年笑老年老懷豪宕倍從前張筵賭酒還
通夕策馬登山直到巔落日澄霞江外樹鮮魚晚
飯越中船風光可樂須行樂梅豆青青漸已圓
別港朱橋面面通畫船西去又還東曲而又曲邪
溝水溫且微溫上巳風放鴨洲邊烟漠漠賣花聲
裏雨濛濛關心民瘼尤堪慰麥隴青葱入望中
新月微微一綫明啣山低樹傍歌散烟横碧落春

星澹露濡宮樓夜氣清皂隸解吟箋上句與臺霑醉柳邊城歸途莫漫頻吆喝花漏東丁已二更

後種菜歌 仍爲常公延齡作

菜葉青霜雪零菜葉落桃李灼別有寒暄只自知骨頭不比松枝弱轆轤牽斷銀餅綆填瞎胭脂亡國井畦乾蟲蠹葉如紗蠹入孝陵墻上粉碎麟殘虎暮松聲掃葉填沙隧道傾年年寒食一盞飯來享孤臣舊菜羹

李御于文濬張賓鶴王文治會飲

黃金避我竟如讎湖海英雄不自由今日一杯明日別訂盟何得及沙鷗

小古鏡爲同年金殿元作 諱德瑛

土花剝蝕蛟龍缺秋水澄泓海月殘料得君心如此鏡玉堂高掛古清寒

贈袁枚

室藏美婦鄰誇艷君有奇才我不貧

